# APPRENTIS LEC

# AUTEURE :

# MOI!

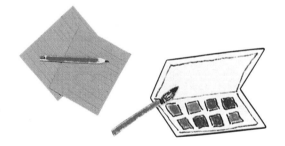

### Texte et illustrations de
### Dana Meachen Rau
#### Texte français de Dominique Chichera

*Éditions*
**◣SCHOLASTIC**

**Pour maman et papa, qui m'ont toujours encouragée
à être créative et ne se sont jamais fâchés quand
je dessinais sur les murs du garage
— D.M.R.**

Catalogage avant publication de Bibliothèque
et Archives Canada

Rau, Dana Meachen, 1971-
Auteure : moi! / texte et illustrations de Dana Meachen
Rau; texte français de Dominique Chichera.

(Apprentis lecteurs)
Traduction de : My Book By Me.
Niveau d'intérêt selon l'âge : Pour enfants de 3 à 6 ans.
ISBN 0-439-94191-1

I. Chichera, Dominique II. Titre. III. Collection.

PZ23.R37Aut 2006     j813'.54     C2006-903211-4

Édition publiée par les Éditions Scholastic,
604, rue King Ouest, Toronto (Ontario)  M5V 1E1.

5 4 3 2 1     Imprimé au Canada     06 07 08 09

J'écris mon propre livre.
Je suis auteure!

# Dans mon livre,
## je peux écrire des mots longs

dinosaure

ou des mots courts.

chat

Je peux écrire en

# BLEU

ou en

# rouge

ou en

*jaune*

ou en

VERT.

Dans mon livre,
je peux être ce que je veux :
coquine,

calme,

effrayée,

ou
courageuse.

11

Je peux être un insecte,
un ours ou...
un enfant.

Dans mon livre,
je peux porter ce que je veux :
un casque de pompier,

# des chaussures de clown

ou des bretelles rouges,
un nœud papillon violet
et des bas à pois!

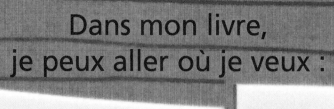

Dans mon livre,
je peux aller où je veux :

dans la maison,

dehors,

au zoo,

ou en pique-nique.

Dans mon livre,
je peux mettre tout
ce que je veux,

ou rien du tout.

J'aime lire le livre
que j'ai écrit.

# le livre que j'ai écrit!

# LISTE DE MOTS

| | | | |
|---|---|---|---|
| à | coquine | jaune | peux |
| ai | courageuse | je | pique-nique |
| aime | courts | la | pois |
| aiment | dans | le | pompier |
| aller | de | lire | porter |
| amis | dehors | livre | propre |
| au | des | longs | que |
| aussi | du | maison | rien |
| auteure | écrire | mes | rouge |
| bas | écris | mettre | rouges |
| bleu | écrit | mon | suis |
| bretelles | effrayée | mots | tout |
| calme | en | nœud | un |
| casque | enfant | ou | vert |
| ce | et | où | veux |
| chaussures | être | ours | violet |
| clown | insecte | papillon | zoo |